CW00971780

A LANDSCAPE BLOSSOMS WITHIN ME

Eeva Kilpi

A LANDSCAPE BLOSSOMS WITHIN ME

Selected, translated
& introduced by
Donald Adamson

ARC PUBLICATIONS
2014

Published by Arc Publications,
Nanholme Mill, Shaw Wood Road
Todmorden OL14 6DA, UK
www.arcpublications.co.uk

978 1908376 85 5 (pbk)
978 1908376 86 2 (hbk)
978 1908376 87 9 (ebook)

Design by Tony Ward
Printed in Great Britain by
TJ International, Padstow, Cornwall

Cover painting: 'Summer Landscape in Sotkamo, 1954'
(oil on canvas) by Risto Leppänen,
by kind permission of Terttu Leppänen

The publishers gratefully acknowledge the financial support of FILI
– Finnish Literature Exchange – for the translation of these poems.

'Arc Translations'
Series Editor: Jean Boase-Beier

ACKNOWLEDGEMENTS

Donald Adamson would like to thank Riika Adamson and Maija McKinnon for checking the accuracy of many of the translations. His thanks also go to Liz Niven, Chrys Salt and Martin Bates in Scotland for their comments and enthusiasm. He especially thanks Eeva Kilpi herself, whose many suggestions and never-failing encouragement turned the translation process into a joyful collaborative endeavour. Any remaining errors or infelicities are his own.

Thanks are also due to Terttu Leppänen for permission to use Risto Leppänen's painting 'Summer Landscape in Sotkamo, 1954' as a cover image; to Timo-Olavi Jalkanen of Databooks for the photograph of the painting; to Risto Vainio of Grayling Designs for input on the cover design; to Tommi Kulokas for the photograph of the translator; and to Tony Ward and Angela Jarman of Arc for multiple aspects of production and editing.

CONTENTS

BEFORE DEATH

ANIMALIA

INTRODUCTION

Eeva Kilpi is one of Finland's best-known writers. Within Scandinavia, some of her poems have achieved an almost viral status, comparable to Stevie Smith's 'Not Waving but Drowning' in the English-speaking world. Although her work has been translated into many languages, the present translations comprise the first extensive collection of her poems in English.

Kilpi has variously been referred to as a feminist writer, a women's writer, an erotic writer, and a writer of exile (referring to her experience as an evacuee from Karelia). Her poems have been seen as pantheistic in outlook, and she shows a keen awareness of the crimes committed by humans against the natural world. Yet the poems evade labelling. Under a simple surface, Kilpi's poems display a multi-voiced modernism. Her commitment to the poetic possibilities of everyday language allows her to include so-called high and low elements – bawdy humour, sexual comedy, daily irritations, and the absurdities of old age, as well as haunting expressions of love and loss. The carnival of voices extends from poem to poem, and within poems. More than most poets, Kilpi deals in irony, not to destroy or mock – though there is plenty of self-mockery – but rather, by playing off one voice against another, as a means of achieving compassion. There is always more to be said, and in Kilpi's world to know more is to forgive more.

Kilpi's poems often have a provisional, improvisatory quality: one seems to enter them 'from the middle'. Read ing these poems is like listening to jazz, where what matters is the way the instrumentalist takes up and varies the riffs to hand. For her own part, Kilpi has mentioned her love of the English poetic tradition, especially the poems of Marvell and Donne. Like these poets, Kilpi is a witty poet in the traditional sense of the word. Many of her poems exploit the technique of the Donnean conceit: a single initial metaphor is developed and varied in odd and disturbing ways.

Still, in Kilpi's own words she is 'sometimes a verb, sometimes a noun' and sometimes goes off 'to scare the birds in the fields'. Indeed, there is something of the shaman, the shape-shifter in her work, and reading her poems thus becomes an exploration of different ways of being. Her poems can be lyrical or raunchy, acerbic or wistful, anarchically comic or desperately sad. The reader can enjoy the poems in different ways: as companions on the life-journey, or as a representation of the life-journey itself.

Note on the text and translations

The translations are roughly in chronological order of composition, from the collections *Laulu Rakkaudesta Ja Muita Runoja* (1972), *Terveisin* (1976), *Ennen Kuolemaa* (1982), *Animalia* (1987), *Kiitos Eilisestä* (1996), and *Viimeisiä Runoja* (1996-2000). Some poems have been regrouped for thematic reasons.

In translational terms, the translations here are oriented towards the 'target' language, in line with the preferences of the author and the translator, who have aimed at the natural conversational rhythms and vocabulary of English.

Donald Adamson

SAY IF I'M DISTURBING YOU

Sano heti jos minä häiritsen,
hän sanoi astuessaan ovesta sisään,
niin minä lähden saman tien pois.

Sinä et ainoastaan häiritse,
minä vastasin,
sinä järkytät koko minun olemustani.
Tervetuloa.

Tuskin hän oli ehtinyt sanoa: »Mansikat vain puuttuvat»
kun minä juoksin talon taakse ja
poimin nurmettuneesta maasta kourallisen
pieniä villiintyneitä mansikoita
ennen kuin hän ehti syödä jogurttinsa loppuun;
ne olivat juuri kypsyneet.
Varo sanojasi, minä sanoin, kaikki toteutuu nyt.

Ja hän varoi.

Just say if I'm disturbing you,
he said as he stepped over the threshold,
and I'll leave immediately.

You do more than disturb me,
I answered,
you turn my whole existence upside down.
Welcome.

No sooner had he said 'All we need are strawberries'
than I ran behind the house
and picked from the grassy ground a handful
of little wild strawberries
before he even had time to eat up his yoghurt;
they had just ripened.
I said, be careful what you wish for,
from now on everything will come true.

And he was careful.

Hämärässä tuvassa
yöperhosten lipistessä ikkunaan
minä kerroin vitsin:
»Saat kyllä kirjeesi takaisin
mutta puhtaasti tunnesyistä
pidän korut ja turkikset.»

Ja me nauroimme.

Sinä muutat sanajärjestystä minussa.
Nyt hiljaa kun tapahtuu.

On hyvä että me tapasimme nyt vasta.
Jos me olisimme tavanneet aikaisemmin
me olisimme tähän mennessä jo eronneet.

In the twilit cottage
as the moths fluttered against the window
I said in jest:
'You'll certainly get your letters back
but for purely sentimental reasons
I'll keep the jewels and the furs.'

And we laughed.

You change the order of the words in me.
Hush now, let it happen.

It's good that we met only now.
If we had met earlier
we'd be divorced already.

Saisko kymppitonnilla naia? hän sanoi minulle
bussipysäkillä kello 0,42
tyhjät kadut ympärillämme huurtuvina.
Ensin minä pudistin päätäni, mutta sitten sanoin:
Ei rahasta, mutta jos imuroit ja tiskaat.
Silloin hän vuorostaan kieltäytyi
ja kääntyi alakuloisena mennäkseen pois.

Meissä on nyt valtava lataus
iloa, rakkautta, hyvyyttä ja voimaa
jakaa muillekin.

Niin, hän sanoi, olet käännekohta minun elämässäni,
sinä aukaisit minun aistieni umpeutuneet väylät.
Ensi kerran ymmärrän äitiäni,
anopista puhumattakaan,
sukulaisia melkein rakastan,
ja mikä parasta, vaimo ei maistu enää puulta;
sitä juhlaa mikä meillä on ollut!

Will you fuck for a grand? he said
at the bus-stop at half-past midnight.
Frost lay on the empty streets all around.
At first I shook my head, but then I said:
Not for money, but if you do the vacuuming and the washing up.
Then he was the one who shook his head
and he turned to go, dejected and forlorn.

We have a mighty charge within us now,
of love, goodness, power
to share with others.

Yes, he said, you are a turning point in my life,
you have opened up the blocked channels of my senses.
For the first time I understand my mother,
to say nothing of my mother-in-law,
I can almost love my relatives,
and best of all, my wife no longer tastes of wood,
such a wonderful time we've had!

Lopulta kävi niin että kohtasin ihmisen
joka piti samoista asioista kuin minäkin:
pääskysistä, lepakoista ja autioista taloista,
huonosta tiestä ja pitkästä heinästä,
metsälammesta, usvasta ja yksinäisyydestä.

Ja kuinka ollakaan, me olimme johdonmukaisia:
emme voineet sietää toisiamme.

Ja Jeesus sanoi: Tulkaa rakkaat vuohet,
te raukat jotka harhailitte koko elämänne
osaamatta valita oikeata puolta,
teille on valmistettu yllätykseksi iankaikkinen ilo.
Ja hän kääntyi akanoiden puoleen,
puhalsi ne ilmaan ja sanoi: Lentäkää ikuisesti vapaina
taivaan tuulissa.

Kolme sudanilaista vallankumouksellista
on teloitettu ampumalla tänään iltapäivällä,
sanottiin juuri kun olin leikkaamassa
illalliseksi paistamaani munaa, yhtä kolmesta.
Eivät anna edes ruokarauhaa, olisin voinut ajatella.
Mutta en ajatellut.
Kolme on hätkähdyttävä luku.
Mahtuu tajuntaan paremmin kuin massamurha.

Finally it happened that I met a person
who liked the same things as I did:
swallows, bats and deserted houses,
a bad road and long grass,
a pond in the forest, mist and solitude.

And guess what, we were consistent:
we couldn't stand each other.

And Jesus said: Come unto me dear goats,
ye wretches who have strayed all your life
unable to choose the right side,
a surprise is prepared for you, eternal life.
And he turned to where the chaff lay
and blew it into the air and said: Fly free for ever
in the winds of heaven.

Three Sudanese revolutionaries
were executed by shooting this afternoon,
the news came just as I was slicing
an egg for my evening meal, one of three.
They don't even give you peace to eat, I might have thought.
But I didn't.
Three is a shocking number.
It enters the mind more easily than mass murder.

Ja eräänä hyvin kyllästyttävänä päivänä
hän sanoi heille kokeeksi:
Köyhät teillä on aina keskuudessanne.
Mutta he vain katsoivat häneen ihaillen.

Yhtäkkiä näen ikkunassa peilikuvani:
jalat pöydällä, kädessä kirja,
mukavannäköinen asento.
Ja se hymyilee.

Minä vilpittömästi kadehdin sitä.

Tehtyään vilpittömän rikkaan nuorukaisen onnettomaksi
Jeesukselle tuli huono omatunto ja hän päätti korjata
kaiken seuraavassa julkilausumassa sanoen:
Autuaita ovat murheelliset.

Ja siitä jäsenten sekamelskasta minä etsin vain sinun
jäseniäsi ja niistä huohotuksista sinun hengitystäsi
ja siitä elinten paljoudesta yhtä joka kuuluisi sinulle.
Tämä vapaus, huusi joku.

And one very annoying day
He said to them as an experiment:
The poor ye have always with you.
But they just gazed at him admiringly.

Suddenly I see my reflection in the window:
feet on the table, a book in my hand,
a comfortable position.
And it smiles.

I'm truly envious.

After making a sincere, rich young man unhappy
Jesus had a bad conscience and decided to put everything right
in his next sermon, saying:
Blessed are the dejected ones.

And amid that confusion of limbs I tried to find only your limbs
and amid these gasps your breathing
and amid the abundance of our body parts one that was yours.
Ah this freedom, someone cried.

LAULU RAKKAUDESTA

Ja eräänä päivänä
me koukistumme toistemme ympärille
ja naksahdamme lukkoon emmekä irtoa enää,
sinun kulumavikasi minun kihtiini kietoutuneena,
minun mahahaavani sinun sydänvaivasi vieressä
ja reumatismini sinun noidannuoltasi vasten,
emme erkane konsana ei.

Ja rakas, sinä unohdat rytmihäiriösi, hengenahdistuksesi
ja kuolion
joka sydämessäsi jo on
ja minä unohdan katarrini, levottomat jalkani
ja sen alituisen kalvamisen vasemmalla puolella
ja tulkohon hallat ja harmit ja muut.

Minun rintani tyhjät ja litteät
ota käsiisi rakas
sillä eräänä päivänä kun katsot ne riippuvat pitkinä,
rakastatko minua silloin
tula tuulan tuli tuli tei?

Herra, opeta meitä hyväksymään vanhojen rakkaus,
nuorten rakkaus, keski-ikäisten ihmisten rakkaus,
rumien rakkaus, lihavien rakkaus, köyhien rakkaus,
huonosti puettujen rakkaus
ja yksinäisten rakkaus.
Opeta meidät hyväksymään rakkaus,
me niin pelkäämme sitä.

A SONG ABOUT LOVE

And one day
we'll be hooked round each other
locked fast so nothing can prise us apart
with your stiff joints wrapped round my gout,
my stomach ulcer snuggled against your dicky heart
and your rheumatism next to my lumbago,
  – *I am thine, thou art mine for ever.*

Then my dear you'll forget your arrhythmia
and the gangrene that has entered your heart already
and I'll forget my catarrh, my restless legs and
the pain always gnawing down my left side
  – *Two hearts that none shall sever.*

My breasts that are empty and flat –
take them in your hand now my love
for one day when you look at them
they'll be droopy, dangling down
and will you love me then
  – *When shades of night are falling?*

Lord, teach us to accept the love of the old,
the love of the young, the love of the middle-aged,
the love of the ugly, of the fat, of the poor
and the ill-dressed
and the lonely.
Teach us to accept love –
love that so terrifies us.

Ja sinä otat käsiisi minun rintani,
minun venyneet litteät rintani
ja kosketat huulillasi kurttuisia nipukoita
ja kaihi silmissäsi sinä sairaspaikkaa odotellessasi
hapuilet sokeana luokseni,
tunnustelet minua käsimielin.
Tunnustele vaan:
kaikkien näitten ryppyjen alla se olen minä,
tähän valepukuun elämä meidät viimein pakotti,
mesimarjani, pulmuni, pääskyni mun.

Ja minun kyhmyni painautuvat sinun kuoppiisi,
sinun ryppysi minun uurteisiini
ja kärsimystesi äärellä minä rukoilen hiljaa kuolemaasi.
On kirkkaana päivä ja ilta.

Nukkumaan käydessä ajattelen:
Huomenna minä lämmitän saunan,
pidän itseäni hyvänä,
kävelytän, uitan, pesen,
kutsun itseni iltateelle,
puhuttelen ystävällisesti ja ihaillen,
kehun: Sinä pieni urhea nainen,
minä luotan sinuun.

And you will press your hand against my breasts,
my stretched, flat breasts
and you will touch my wrinkled nipples with your lips
and you, with that cataract in your eye
as you wait for the operation
will grope your way blindly towards me
and feel me with the fingers of the mind.
So, feel:
For under all these wrinkles I'll still be me,
life makes us wear this disguise at the last –
– *When little birds cease their calling.*

And my lumps will press into the folds of your skin,
your wrinkles into my creases
and faced with your suffering I shall pray
softly for your death.
– *Arm in arm we'll walk together*
And our sky will always be bright.

As I'm going to bed I think:
Tomorrow I'll heat up the sauna,
I'll pamper myself,
take a walk, take a dip, wash,
invite myself for evening tea
and speak to myself affectionately, admiringly,
approvingly: You brave little woman,
I trust you.

WITH MY GREETINGS

Jo kauan olen ollut varovainen,
kysynyt:
– Onko tämä Jumalan lähettämä mies?
Nyt kysyn lisäksi:
– Onko tämä ihminen jolle tahdon
avata yksinäisyyteni veräjän
astua korpeeni,
häiritä sen hitaasti kasvanut
luonnonmukainen epäjärjestys,
nähdä sen rauhoitetut kasvit,
valonarat linnut,
jättää jälkensä sen soiselle polulle,
makuuksensa sen ruohoon,
enkelinkuvansa sisimpäni hangelle.

Reportterin mentyä
haastattelen pihassa kuminaa:
»Miten päätitte olla mauste?»

For all this time I've been careful,
asking:

– Is this the man sent by God?
Now I ask also:
– Is this the one who should open
the gate of my solitude,
step into my wildwood,
disturb its slowly-grown
natural disorder,
see its protected plants
and the birds that avoid the light,
leave his footsteps on the marshy path,
the impression of his body on the grass,
and the arc of his angel-wings
on the snowdrift within me.

After the journalist has gone
I'll interview the caraway plant in my garden:
'How did you decide to become a spice?'

Ettäkö vain kerran vuodessa
ja niin lyhyen aikaa?

Meidän rakastaessamme heinä kasvoi nilkoista
lanteita hipomaan,
koiranputki olkapäitten ympärille,
polku syveni pois.

Tänä aamuna olen päättänyt olla kirjoittamatta
ja istuttaa ruusun.

Siis tätä ihminen tarvitsee ollakseen onnellinen:
työn että voi lyödä sen laimin,
helteen että tuntee sen oikeutetuksi
ja lapsuuden
että voi juuria siitä juhannusruusun
vanhuutensa seinustalle.

So is it to be just once a year
and so briefly?

In this loving of ours
the grass has grown round our ankles
and stroked our hips,
cow parsley has reached up to our shoulders
and the path is overgrown.

This morning I've decided not to write
and to plant a rose instead.

So this is what a person needs to be happy:
work that she can neglect,
hot weather to give her the excuse
and childhood
from which she can uproot a midsummer rose
to plant at the wall of her old age.

Että mitäkö minusta kuoriutuu esiin yksinäisyydessä:
vääpelin sielu.
Tänä aamuna komensin leipää:
»Ei täällä saa homehtua.»
Eilen huusin hellalle: »Ala vetää!»
Ja kun menen hakemaan viiniä kuulutan:
»Kyyt pois, emäntä tulee kellariin.»
Lauantaina olin tyly rupikonnalleni saunalla:
»Kuka käski jättää räpylänsä minun paljaan jalkani alle.»

Perusihmisyyttä?
Ei voi olla totta.
Niin totta se ei saa olla.

Yöllä minulle äkkiä valkeni:
se mies joka auttoi autoni käyntiin,
se oli sorsastaja.
Jokin sanoi minulle sen.
Metsässä tietää.

Nyt ymmärrän hänen pelästyneen katseensa
kun menin puhuttelemaan häntä.

Säikähti omaatuntoaan.

Ja minä: kehuin ja kiitin.

Amazing how when I'm alone
the soul of a sergeant major hatches in me.
This morning I gave orders to the bread:
'There's no going mouldy here.'
Yesterday I yelled at the wood-burning stove: 'No smoking!'
And when I go to fetch a bottle of wine I command:
'Snakes, out, I'm coming down to the cellar.'
On Saturday I had harsh words for my toad in the sauna:
'Who told you to leave your flipper under my bare feet?'

Is that our basic human nature?
It can't be true.
I won't allow it.

During the night I suddenly realised,
about that man who helped me to start the car –
he was a duck-shooter.
Something gave me that impression.
In the forest you can tell.

Now I understand his scared glance
when I went to talk to him.

It was his conscience that pricked him.

And I – I praised him, thanked him.

Syksy.
Nyt pyykkiin viime kesän spermat.
Vähäiset mutta kuitenkin.
Sääli.
Eivät mahtuneet kaikki minuun.
Ja talvi on pitkä.

NIISTÄ JOITA JUMALAT VIHAAVAT

Niistä joita jumalat vihaavat enemmän kuin opettajia
he tekevät säänennustajia.
Joka kerta kun tuuli kääntyy
he tuntevat sen luissaan.
Aina kun sade on tulossa
he ovat kuolemankielissä.
Kylmän korpit nokkivat heidän lapojaan,
kourivat niskaa,
istuvat polvien päällä,
repivät varpaita,
herkuttelevat jänteillä ja sidekudoksilla.
Kipujen siirat vilistävät lanteista pohkeisiin,
purevat sieltä, näykkäävät täältä,
turpoavat ja lisääntyvät
matalapaineen edellä.
Lepäävät harvoin, auringossa.
Ja kaiken tämän kukkuroidakseen
jumalat tekivät heistä pitkäikäisiä.

Autumn.
Now I wash away the sperm from last summer.
Not much of it but still…
A pity.
It didn't all fit inside me.
And there's a long winter ahead.

RHEUMATIC POEM

Those whom the gods hate more than teachers
they make weather prophets.
Every time the wind changes
they feel it in their bones.
Whenever the rain is coming
they are at death's door.
The ravens of cold peck at their hands,
put cramp in their necks
sit on their knees,
tear at their toes,
make merry with joints and connective tissues.
The woodlice of pain scuttle from hips to calves,
a bite here, a nip there,
swelling, multiplying
when a low pressure system is approaching.
They don't sleep much, and only in the sun.
And to crown it all
the gods gave them the gift
of long life.

Viime kesänä jolloin en kirjoittanut
Jumala lähetti minulle miehiä.
Tänä vuonna kirjoitan metsässä myöhään syksyyn
ja eikös Hän toimita minulle polttopuita:
rojauttaa yhtiön metsätraktorista
kasan pölkkyjä vanhan saunani viereen.
Hän antaa hartioihini voiman raahata
ne liiteriin.
Kuka tietää, vaikka Hän itse ilmestyisi
ne jonakin päivänä sahaamaan.
Tarpeeni kaikki tietää.

Pirukin kiertää paikkaa,
kauppaa tontteja, viittilöi mökkiäni,
loitsii turhaan rajoja.

Ei pysty paha noita-akkaan
jok' on liitossa Jumalan kanssa,
kainalossa Kaikkivallan.

Linnut lähtevät,
ruoho kuolee,
minä jään.

Luoja lempii salaa.

Last summer when I wasn't writing
God sent me men. This year
I'm writing in the forest in late autumn
and look – He's bringing me wood for my stove:
He's driving the company's tractor,
dumping a pile of logs beside the old sauna.
He's giving my shoulders the power
to drag them to the woodshed.
Who knows, maybe He'll appear himself
one day to saw them up.
He knows all my needs.

The devil, too, is prowling round the place,
selling plots of land, pointing at my cottage,
invoking useless boundaries.

But no evil can touch this witch-woman
who's in league with the Lord,
leaning on the arm of the Almighty.

The birds are leaving,
the grass is dying,
I'm staying.

The Creator's love is secret.

Neitseestä syntynyt,
he sanoivat
ja ajatella, se meni läpi.

Ja nyt kun virhe on tehty
ja me elämme siinä yhä,
ei voi muuta kuin kuvitella
miten toisin olisi kaikki,
jos he olisivat nostaneet totuuden kunniaan,
sanoneet:

– Ole siunattu, avioton äiti.

»Herra, sinä tiedät paremmin kuin minä itse,
että jonakin päivänä olen vanha…
varjele minua siltä kohtalokkaalta luulolta,
että minun täytyy sanoa mielipiteeni joka asiasta…
sinetöi huuleni… minäkin saatan erehtyä…
hapan vanha nainen
on paholaisen ikävimpiä luomuksia.»

Herra, mitä minulle on tapahtumassa?
Nuorena liikutuin syvästi abbedissan rukouksesta.
Nyt epäilen että se on jonkun apotin laatima.

Born of a virgin
they said
and amazingly, people believed it.

And now that the mistake has been made
and we still live with it,
all we can do is imagine
how different it would have been
if they had honoured the truth
and said:

– Blessed art thou, unmarried mother.

'Lord, You know better than I do
how one day I'll be old...
protect me from that fatal notion
that I have to give my opinion on everything...
seal my lips... even I can be wrong...
a sour old woman
is one of Satan's most devilish creations.'

Lord what's happening to me?
When I was young, I was deeply moved
by that prayer of the abbess.
Now I think some abbot invented it.

Rakkaus on ihmisen elastisin ulottuvuus.
Se on kuin emätin.
Sopeutuu isoon ja pieneen.

Luonto ei petä.

Rakastaja löysi hänen rinnastaan syövän idun:
pelasti hänet elämälle.
Aviomies teki parannuksen,
lakkasi juomasta,
jäi illoiksi kotiin.
Lapset rupesivat tiskaamaan.
Perhe-elämä elpyi.

Salavuoteen hiljainen sankari kulkee murheissaan.
Kiittämätön elämä!

Love is the most elastic human dimension.
It's like a vagina.
It adapts to great and small.

Nature never lets us down.

Her lover found the cancerous lump in her breast
and saved her life.
Her husband changed his ways,
stopped drinking,
spent his evenings at home.
The children started to do the washing up.
Family life revived.

Now the silent hero of adultery
wanders back and forth dejectedly.
Oh life's ingratitude!

OMAEHTOINEN LAULU RAKKAUDESTA

Rakasta minun aivojani,
ne ovat ainoa
mitä minusta on enää jäljellä.

Mutta mihin kätken tämän?
hän vastasi
osoittaen –

Suo anteeksi. Minä aivan unohdin.
Hetkinen. Mietitään yhdessä.
Miten olisi – ?

Ei käy, hän sanoi ravistaen alakuloisesti päätään,
etkö muista että – ?
Ja sitä paitsi, hän totesi, se on liian tavallista.

Entäpä – ? minä ehdotin.

Hm, hän aprikoi,
mutta ei vaikuttanut erityisen innostuneelta.

No mitä jos – ?

Hänen silmänsä syttyivät.
Olet ihmeellinen, hän sanoi,
sitä ei vielä kukaan ole koskaan tullut ajatelleeksi.

Sitten hän –
Ja minä –

A SPONTANEOUS LOVE SONG

– Love my brain,
it's the only part of me
I've got left.

But where shall I hide this?
He answered
pointing –

Sorry, I quite forgot.
Wait a second, let's think about it together.
How would it be if – ?

It wouldn't work, he said shaking his head sadly,
don't you remember that I – ?
And besides, he said, it's too normal.

And suppose – ? I suggested.

Hm, he pondered,
but didn't seem all that interested.

Well, what if – ?

His eyes lit up.
You're wonderful, he said
no one has ever thought of that before.

Then he –
And I –

Ja kun näin että hänen oli hyvä
ajattelin olla puhumatta enää aivoistani.
Mutta hän muisti ne,
kääntyi niiden puoleen
ja rakasti niitä.

– Se oli ihana, ainutlaatuinen kokemus
ja minä annan sille suuren arvon:
klassinen, onnistunut viettely.

Minä vastustelin
ja hän pani soimaan Kodin kynttilät,
kappaleen joka on aina etonut minua,
jo ennen kuin minusta tuli tällainen.
Ja se tehosi.

Ehkä hän vaistosi,
että erehdykset ne juuri ovat antoisinta
mitä minulle voi tapahtua.

Että minun on aina petyttävä
ennen kuin merkittävä toteutuu.

And when I saw that all was well with him
I thought I would stop this talk about my brain.
But he remembered it
and he turned to the brain's side
and loved it.

—It was marvellous, a unique experience
and I give it ten out of ten:
a classical, successful seduction.

I'd been resisting him
till he put on a record, *The Candles of Home,*
a piece I've always hated
even before I became the way I am.
And it worked.

Maybe he knew instinctively
that mistakes are the most rewarding thing
that can happen to me.

That I always have to be disappointed
before anything worthwhile can happen.

Vanha talonpaikka, lähde ja haukka,
ne minua sykähdyttävät, sanoi sisareni
kun söimme vaapukoita kotimme perustuksilla,
valoisalla kennäällä, ympärillä metsää.
Jänis oli vieraillut tuvan kohdalla,
kammarin puolella hirvi.
Oli lämmin ilta.
Kolmekymmentä vuotta oli mennyt.

Miten ihminen rakastaakaan kaltaistaan.

The spring and the hawk
and this place where we used to live –
all this thrills me, said my sister
as we were eating raspberries
on the foundations of our old home.
We were on a sunny hillock, surrounded by forest.
A hare had visited the living room.
On the bedroom side an elk had wandered in.
It was a warm evening.
Half a century had passed.

How much we love all that is like us.

[Note: This poem reflects the experience of Karelians who, during the 1990s, were allowed to return as tourists to the area of Finland ceded to the Soviet Union at the end of the Second World War.]

BEFORE DEATH

Isä on nyt aistihavainnon ulottumattomissa.
Se on ainoa mitä kuolemasta voidaan
varmuudella sanoa.
Aika paljon on siis mahdollista,
esimerkiksi unet.

Vielä viime yönä minä pitelin hänen päätään
kainalossani ja itkin
koska muka tajusin ensimmäisen kerran
että hän on jo vanha ja sairas ja kuolee.

Silti minä sanoisin tämän luonnollisen kuoleman nähtyäni
että kuolema on aina väkivaltainen tapahtuma,
se katkaisee yksilöllisyyden
kuin nivel naksautettaisiin poikki.
Viimeiseen saakka elämä kamppailee
kuolemaa vastaan hitauden lain mukaan
ja kun kuolema viimein voittaa
kumoutuu eräs luonnon laki – jatkuvuuden –
niin kuin syntymässä kumoutuu olemattomuus
poltto poltolta.
Poltto poltolta, ponnistus ponnistukselta
kun ei enää jaksaisi
ihminen synnyttää kuolemansa
eikä tee sillä enää mitään.

Father is now beyond the reach of the senses.
It's the only thing that one can say about death
with certainty.
So quite a lot is possible,
for example dreams.

Last night his head rested on my arm
and I wept
because I seemed to know for the first time
that he was old and sick and going to die.

Yet after seeing this natural death I'd say
that death is always a violent event,
it destroys individuality
as if a joint had been snapped.
Right to the end life struggles
against death, following a law of slowness
and when death wins at last
a law of nature is cancelled – of continuation –
just as non-being is cancelled at our birth,
pain by pain, push by push
contraction by contraction.
When we haven't the strength to go further
we give birth to death
and have nothing more to do with it.

Isä, eilen satoi
ja tänään satoi juuri äsken.
On silti lämmintä.
Saattaa tulla hyvä sienisyksy.

Isä, kohta tulevat iltauutiset
ja sauna on kypsä.

Isä, tule taas minun uniini.
Minä tarjoan sinulle leipää, juustoa
ja marjoja,
haen lähteestä vettä.

Isä, anna minun vielä harjoitella.
On outoa olla näin tunteeton.

Raskas olo.
Viides päivä sitten hautajaisten.
Surun arki on alkanut.
Äiti on jo lesken näköinen.
Isän pitäisi tulla lohduttamaan meitä.

Mutta hän ei tule.
Tulee ehtoo ja tulee aamu ja kuudes päivä.

Father, it rained yesterday
and today it rained just a moment ago.
But it's still warm.
This may be a good autumn for mushrooms.

Father, the evening news will be on soon
and the sauna is ready.

Father, come into my dream again.
I'll offer you bread, cheese
and berries,
I'll fetch water from the spring.

Father, let me keep on practising.
It's strange to be like this, feeling nothing.

A feeling of heaviness.
The fifth day after the funeral.
The everyday of sorrow has begun.
Mother looks like a widow already.
Father should be here to comfort us.

But he doesn't come.
The evening comes, and the morning, and the sixth day.

Kuukausi kuolemasta.
Näin läsnä kuin nyt hän ei ole koskaan ollut.
Mikä saisi minut vakuuttuneeksi ja olisiko
siten parempi?
On vain kuin koti-ikävä, ikävä isää
kuin silloin kun hän oli matkalla tai sodassa,
kun oli sellainen surullinen poikkeustila
eikä perhe ollut koossa.

Jospa tähän tunteeseen sisältyy jokin totuus,
jospa se on viesti
aistihavainnon ulottumattomista
niin kuin vertaukset ja symbolit?

Jospa hänkin ikävöi meitä?

– Lapsia tulee ikävä... hän sanoi.
Näin väkevästi ihminen elää vasta kuoltuaan
ja silloin kun häneen rakastutaan.

Eräänä päivänä hänelle tuli kasvi vatsaan,
se iti, kasvoi ja levittäytyi.
Ja eräänä toisena päivänä hän oli kukkia täynnä.
Sisäisillä silmillään hän näki ne kaikki,
myös perhoset niitten yllä.
Ja hän puolusti viimeiseen saakka sitä maisemaa.

A month from his death.
He's never been as here as he is now.
What could reassure me
and would that be any better?
It's like home-sickness, this missing of father
like when he was on a journey, or away at the war
during a time of sad emergency
when the family couldn't be together.

And suppose this feeling contains a truth,
suppose it's a message
from beyond the reach of the senses
like similes and symbols?

Suppose he misses us also?

– I'll miss the children… he said.
No man lives as insistently as this
except when he is dead
or when someone is in love with him.

One day a tumour planted itself in his stomach
and it sprouted, grew and spread.
And on another day he was full of flowers.
He saw them all with his inner eye,
even the butterflies above the meadow.
And he defended that landscape to the very end.

Mutta se mitä me jälkeenpäin puhuimme osoittikin
että me olimme lähestyneet rakkautemme hetkeä
aivan erilaisin odotuksin,
aivan eri näkökulmista ja tahoilta
ja pikemminkin kuin vastustajat.
Ja kun sen äkkiä tajusi
sitä vaikeni
pystymättä sanomaan sanaakaan
ja vain hiljaa ihmetteli
että se oli onnistunut niinkin,
että me kumpikin tahoillamme,
etäällä toisistamme
olimme heittäytyneet yhteisen saaliimme
rakkauden kimppuun ja muutamissa minuuteissa
repineet siitä nautintomme,
hikisinä, melkein verissäpäin,
ja että se arka, herkkä eläin
oli antanut meille niin paljon voimaa
vaikka me joka kerta tavatessamme
ruhjoimme sen näännyksiin.

Juokse rakkauden kaunis eläin,
pakene henkesi edestä.

But what we said to each other afterwards showed
that we had approached the moment of love
with quite different expectations,
from different perspectives, starting points,
and more in the manner of enemies.
But when this suddenly became clear
we were struck dumb,
unable to say a word
and were just quietly amazed
that it had been more or less successful:
that we both, from our points of departure,
at a distance from each other
had hurled ourselves upon our common prey –
love – and in a few minutes
torn our enjoyment from it,
sweatily, almost bloodily,
and that such a shy, sensitive creature
had given to us so much power
even if every time we came upon it
we hacked it to pieces.

Flee, flee you beautiful beast of love.
Run for your life.

— Ei tämä oma vanheneminen mitään,
mutta miten kestää nähdä että nuori rakastaja alkaa vanheta?
Kalju. Maha. Innottomuus.
Miksi hän ei jättänyt minua hyvissä ajoin?
Minä olin ryppyinen jo silloin kun tapasimme,
muistutin hänen äitiään,
annoin valloituksen tunteen ja hämmästyksen:
että näinkin vanhaa vielä voi.
Mutta hän alkaa rypistyä nyt
enkä minä ole lainkaan valmistautunut.
Kun ajattelee että minulla voisi olla muisto
nuoresta epäröimättömästä miehestä...
Eikä siinä vielä kylliksi.
Yökaudet minua vaivaa ajatus
että hän, nykyistäkin rapistuneempana
herättää ihmetystä haudallani
jossain sivussa, alakuloisena,
huolittelemattomana,
eikä kukaan ymmärrä mitä minä hänessä
koskaan näin.
Enkä ehkä ymmärtäisi enää itsekään,
ihminenhän minäkin vain olen.

Kun hiekka ropisee arkulleni kasteisena aamuna,
kun lapiot kalahtelevat,
kun nuoret opiskelijapojat shortseissaan
peittävät minua...

Sinä naurat, kuolema.
Vaan minäpä hymyilen vastaan.

—For myself, I don't care if I'm growing old –
but how can I bear to see that my young lover
is starting to grow old?
The baldness. The belly. The apathy.
Why didn't he leave me in good time?
I was wrinkled even when we met,
I reminded him of his mother,
I let him be a conqueror, amazed
that it's still possible with one so old.
But now the wrinkles are starting to show on him
and I'm not at all prepared for that.
When I think that I could have the memory
of a young, passionate man…
And that's not the end of it.
Night after night it troubles me, the notion
that he, in a state even worse
than he is now, will astonish those at my grave
as he stands apart, a sad old fellow,
gone to seed,
and no-one will understand what I ever
saw in him.
And perhaps I wouldn't understand it either,
after all, I'm only human.

When the sand drops on my coffin
on a dewy morning, when the shovels clatter
and the young student boys in their shorts
cover me up…

Death, you laugh.
But I smile back at you.

Olla väliin verbi, väliin substantiivi.
Ja he valittavat, että juuri kun he olivat
pääsemäisillään perille mikä substantiivi,
minä muutuinkin verbiksi ja liu'uin pois
heidän käsitteistöstään.
Ja he sanoivat: – Siis verbi, ja ryhtyivät
taivuttamaan minua aikamuodoissa,
jolloin minä olin aivan hiljaa ja
substantiivina pelottelin lintuja pellolla
ja he kulkivat ohi etsien verbiä ja minä
lensin heidän ylitseen ja he sanoivat:
– Ei, se on molempia yhtaikaa nyt. Meidän
on pidettävä konferenssi. Tämä muuttaa
koko ajattelun.

–Kun kuolen
kanna minun unohtaa kertominen,
sillä muuten en jaksa olla kuollut
niin kuin en jaksanut elää kertomatta.
Tai minä palaan ja paljastan kaiken,
kerron millaista oli kuolla,
millaista olla kuollut,
mitä on toisella puolella ja mikä on ero.
Minut on tapettava kunnolla.

To be sometimes a verb, sometimes a noun,
and they complain that just when they were
getting the hang of which noun
I changed into a verb and slipped away
from their terminology.
And they said: – So then, a verb, and they began
to conjugate me in various tenses
at which point I clammed up
and went off as a noun to scare the birds in the field
and they walked past me and I
flew above them and they said:
– No, she's both now. We must
hold a conference. This overturns
the entire conception.

–When I die
let me forget the story-telling,
for otherwise I won't stand being dead
just as I couldn't stand life without telling stories.
Or else I'll come back and reveal everything,
say how it was to die,
how it was to be dead,
what's on the other side, and the difference between.
I have to be killed properly.

Jumala jakautuu mieheksi ja naiseksi
saadakseen kokea intohimon,
voidakseen nauttia,
rakastaa ja
tuntea tyydytyksen.
Muuten hän on aina huolissaan.

Vuorotellen
hän astuu miehen ruumiiseen
ja naisen ruumiiseen
ja ottaa ilon irti elämästä
epätoivoissaan.
Muuten hän ei pystyisi rakastamaan
aikuisia lainkaan.

God divides himself into man and woman
so that he can experience passion,
so that he can feel enjoyment,
and love
and satisfaction.
If he doesn't, it never ceases to trouble him.

He takes it in turns
to step into the body of a man
and the body of a woman
and squeeze some joy out of life
in his despair.
If he didn't, he wouldn't be able to love
adults at all.

ANIMALIA

Tule leikitään isää ja äitiä.
Leikitään että maailma on koti
ja kaikki ihmiset meidän lapsiamme
ja eläimet myös ja kasvit.
Kaikki sikiää meistä
ja kaikki alkaa aina
vasta kun olemme ensin rakastaneet.
Me olemme kaiken isä ja äiti
ja meillä on valta
tehdä hyvää,
valta suojella,
kieltää tallaamasta, taittamasta,
sanoa: Säästäkää eläimet!
Leikitään isää ja äitiä:
sinä susi,
minä morsian.

—No jos sinä kerran välttämättä
haluat tunnustuksia,
niin olkoon menneeksi:
minulla on ollut
kolmekymmentäkuusi rakastajaa.
Kyllä. Olet oikeassa,
se on aivan liikaa.
Kolmekymmentäviisi olisi riittänyt.
Mutta rakkaani, se kolmaskymmeneskuudes
olet sinä.

Come – let's play mums and dads.
Let's imagine that the world is our home
and all the people our children
and the animals too, and the plants.
The whole of life has its seeds in us
and the world can only begin
when we have loved.
We are the mother and father of all creation
and we have the power to do good,
the power to protect,
to say no to the trampling and the breaking,
to plead: Save the animals!
Let's play mums and dads –
you the wolf,
I the bride.

–Well if you really insist
on hearing my confessions
then I'll tell you:
I have had
thirty-six lovers.
Yes, you're right
it's far too many.
Thirty-five would have been enough.
But my dear, that thirty-sixth lover
is you.

– Mistä tietää että mies alkaa olla kiinnostunut?

– Hän rupeaa puhumaan vaimostaan.
Kuvailee miten hyvin heillä menee.
Sen jälkeen onkin vastuu hänen mielestään sinun
ja hän itse siitä vapaa.
Iloitse sinäkin:
hän sulkee sinut syliinsä puhtain tunnoin
ja tulisesti.

Kun Jumala kuudentena päivänä loi ihmisen,
hän oli jo aivan näännyksissä
eikä tomu muuttunut hänen käsissään eläväksi
niin kuin se oli muuttunut hänen ollessaan voimissaan
ja luodessaan valon, kasvit ja eläimet.
Hänen täytyi antaa tekohengitystä tomulle
ennen kuin se alkoi jotenkuten pihistä
eikä siitä koskaan tullut mitään kunnollista luomusta,
ei sellaista itsestäänselvää voimakasta olemista
niin kuin kasvien ja eläinten.
Jumala oli hyvin tyytymätön itseensä
ja rangaistakseen kyvyttömyyttään
hän nimesi tämän viimeisen tekonsa omaksi kuvakseen.
Näin rujo minä todellisuudessa olen, hän ajatteli.
Ja hänen oli käytävä lepäämään.

–How do you know if a man is starting to be interested?

– He starts to talk about his wife.
He tells you what a fine relationship they have.
From then on he thinks the responsibility is yours
and the burden is lifted from him.

You should be glad:
he'll take you in his arms with a good conscience
and passionately.

When on the sixth day God created man
he was already at the point of exhaustion
and the clay hadn't come alive in his hands
as it had when he was at the height of his powers,
when he'd created light, the plants and the animals.
He had to give artificial respiration to the clay
before it could just about wheeze into life
and it never became any sort of proper creation,
no unmistakably powerful form of life
like the plants or the animals.
God was truly displeased with himself
and to punish himself he said that his last work
was in his own image.
Truly, I'm so wretched, he thought
and he had to go and lie down.

Jospa jäsenet ovat kehittyneet
halusta auttaa toista?
Halusta auttaa yöperhonen
ulos ikkunalasista...
Kuinka iloisesti
se lähteekään lentämään!
Ja siivet pakokauhusta?

Jospa käsivarret ovat kehittyneet
halusta sulkea syliin,
tuudittaa.
Ja huulet halusta suudella.
Mitä vielä näitä elimiä onkaan,
halusta syntyneet kaikki
ja kurkotuksesta.

Suppose our limbs developed
from the wish to help others?
The wish to open the window
and help the moth escape…
        See how joyfully
        it flies away!
…and wings from panic?

Suppose arms developed
from the wish to embrace,
to rock to sleep.
And lips from the wish to kiss.
And all these other parts of the body
that come from the wishing
and the reaching out.

Rakastavaiset lahjoittavat toisilleen valtakuntia,
uusia kotiseutuja, mantereita ja harvinaisia kieliä.
Kun he eroavat, jäävät nämä lahjat heille,
ne ovat peruuttamattomia
ja heidän rakkautensa jatkuu niissä
kirjallisuutena, kielitaitoina,
runoina ja kertomuksina
joita he ovat yhdessä sommitelleet
toinen toistensa kielille.
Näin rakkaus avartaa maailmaa,
näin se katoavuudessaankin
synnyttää rauhaa ja ymmärtämystä.
Uudet sydämet avautuvat,
on hiukan enemmän yhteistä
seuraavien rakastavaisten aloittaa.

Lovers give kingdoms to each other,
new homelands, continents and rare languages.
When they split up, the gifts remain,
nothing is cancelled out
and love lingers within the gifts
as literature, as skill in tongues,
as poems and as stories
the lovers composed together
each in the language of the other.
That's how love creates a wider world
and how, even as it vanishes
something is born of peace and understanding.
And hearts are opened afresh
with that much more to share
for lovers when another love appears.

Äiti tulee joka aamu uudelleen sairaaksi
ja isä kuolee hänen vierestään joka aamu.
Joka aamu on äiti ollut eilen terve ja nuori
ja vain nyt sairastunut äkkiä,
vain nyt väsynyt,
tilapäisesti.

– Kuin olisin kuokkinut pellon, hän sanoo.
– Niinhän sinä oletkin.
Sinä olet kuokkinut elämässäsi monta peltoa,
hoitanut lehmät ja kaikki. Palvellut muita.
Se väsyttää. Ei ihme.
– Sinä ymmärrät, hän sanoo, sinä ymmärrät
kun alat itsekin olla jo vanha
ja mihinkään kelpaamaton.
Nuoremmat vaativat, että pitää jaksaa,
pitää olla pirteä. Pitää olla hauska.
Minä en ole. Sen takia minua ei rakasta kukaan.

– Minulle saat olla niin raihnainen
kuin ikinä pystyt.

– Kiitos, se on ihana lupa, lapseni.

Mother gets sick every morning
and father dies beside her every morning.
Every morning mother has been young and healthy
and is only now ill all of a sudden,
only now tired,
it's just temporary.

– It's as if I've been digging a field, she says.
– And so you have.
You've dug many a field in your life,
looked after the cows, done all that. Served others.
It makes you tired, no wonder.
– You understand, she says, now you understand
now that you are starting to be old yourself
and good for nothing.
The young ones demand that you should always cope,
be cheerful, be fun,
and I'm not. That's why nobody loves me.

– For me you can be as utterly decrepit
as you like.

– Thank you. That's a wonderful promise, my child.

Isän olemassaolossa
tapahtui sellainen poikkeus
että hän kuoli.
Kerran kävi vain niin, sellainen sattumus,
muuten hän voi kyllä aivan hyvin,
on toki poissa,
mutta erittäin väkevästi kuitenkin kasvimaalla
ja verkkokeinussa,
kulkee vähän väliä polkua pitkin ylös taloon
täysinäinen mansikka-astia käsissään,
tosin kumarana,
pitää puoliaan alituisia huomautuksia vastaan:
»mie kuuntelen vain uutiset, sit mie haen vettä»,
»het kohta eikä tunnin perästä».
Hän jatkuu.
Sen huomaa joka hetki.

Elä, jotta sinut voisi unohtaa.

When father was alive
an unusual event took place:
he died.
Just once it happened, a sort of accident,
in every other way he's fine,
of course he's gone
and yet there's no avoiding him
in the vegetable patch, or lying in the hammock,
or now and again walking up to the house
carrying a full bowl of strawberries.
He's stooping now, as he defends himself
against our constant remarks:
'I'll just listen to the news, then I'll get the water,'
'I'll be there in a minute, it won't take long.'
He goes on living.
We see him every moment.

Father, be alive
so that we could forget you.

— Äitini, sisareni, ystäväni, lapseni,
sanoo äiti minulle.

Se on kaunis rakkaudentunnustus,
runsain mitä olen saanut.

Yölintu alkoi laulaa
kun sitä muistelin.

Äiti, äiti, äiti, se sanoo,
sisar, sisar, sisar, ystävä, ystävä,
lapseni, lapseni, lapseni. Rakas, rakas.

Minä ymmärrän.

Kuka ikinä minulle sanoo
yhden näistä tunnustuksista
tarkoittaa niitä kaikkia.

—My mother, my sister, my friend, my child,
that's what my mother says to me.

There's a beautiful declaration of love,
the most bounteous I've heard from anyone.

The bird of night began to sing
when I remembered it.

Mother, mother, mother, it says,
sister, sister, sister, friend, friend,
my child my child, my child. My dear, my dear.

I understand.

Whoever says to me
just one of these phrases
means all of them.

Aito. Se tarkoittaa meitä eläimiä.
Liskoja ja käärmeitä,
poroja, sikoja ja antilooppeja.
Me olemme aitoja.
Laukku ei ole aito
ellei se ole tehty meistä.
Tai vyö. Tai kengät.
Etsivät aitouttaan meistä, eläimistä,
kun ovat omansa hukanneet.
Etsivät luontoa luontaistuotekaupoista,
veljeään pihvistä.
Tiedätkö, että meiltä viedään paitsi henki
myös elämä
jotta sinun olisi turhan hyvä olla?
Olet väärällä tiellä.
Se ei vie pois. Se ei tuo kotiin.
Me käsineet vilkutamme: Hyvää matkaa.

Genuine. That's us, the animals.
The reptiles and snakes,
the reindeer, pigs and antelopes.
We're genuine.
A handbag isn't genuine
if it isn't made from us.
Likewise a belt. Or shoes.
People come to us for authenticity
because they've lost their own,
they think they can buy nature in natural products
and the steaks hacked from their brothers.
Don't you know, we've been robbed, not only of the spirit
but of life
so that you can feel good – and good for what?

You're on the wrong track.
It won't take you anywhere, won't take you home.
We are your gloves. We're waving you goodbye.

GRANNY-OGRAPHY

Kun lapsenlapset syntyvät
sinkoutuvat mummot viimeinkin syrjään
äitiyden pyörremyrskystä
ja ovat vapaita rakastamaan häikäilemättömästi
niin kuin ei koskaan aikaisemmin.
Viimeinkin he näkevät lapsen
oikean välimatkan päästä.
Lapsi ei ole osa heitä,
he ovat osa lasta,
maailmaa jonka luulivat kadonneen,
ja siinä se avaa ja sulkee silmiään
kuin jokin muinaisaikojen eläin,
äkkiarvaamatta syvänteistä löytynyt,
pieni sipuli joka meissä yhä kätkee kukan
ja kasvun mahdollisuuden.
Niin mummotkin itävät
ja heidän aavikkonsa puhkeaa villiin kukkaan
kun lapsenlapset ratsastavat yli
kuusijalkaisilla hevosilla hiukset hulmuten,
ohjaksitta, valjaitta.
Runojen kapseessa
ei yksikään kukka taitu.

When grandchildren are born
grannies at last throw themselves aside
from the whirlwind of motherhood,
free to love shamelessly
as never before.
At last they can see the child
from the right distance.
The child isn't part of them,
they're part of the child,
part of a world they thought had disappeared,
and there it opens and shuts its eyes
like some prehistoric creature
dredged from the depths quite unexpectedly,
a little bulb that still hides its flower in us
and the chance to grow.
Thus it is that even grannies sprout
and their deserts burst into a crazy blossoming
when their grandchildren are riding
on a six-legged horse, hair flying everywhere,
no reins, no harness.

In the clip-clop of a poem
not a single bud is broken.

Kun mummot kuolevat
heistä tulee kukkaniittyjä ja heinää
ja joistakin mummoista tulee puita
ja he humisevat lastenlastensa yllä,
suojaavat heitä sateelta ja tuulelta
ja levittävät talvella oksansa
lumimajaksi heidän ylleen.
Mutta sitä ennen he ovat intohimoisia.

Mummot itkevät melkein joka päivä.
Ei se mitään, lapseni,
pahempi on jollei kukaan enää koskaan itke.
Prinsessan kyynelistä kasvaa liljoja, muistathan,
ja heidän suudelmistaan valveutuvat tyhmät prinssit.
Oi jospa mummojen silmistä hyppisi pieniä sammakoita,
ne ovat käyneet niin vähiin, niitä tarvitaan.
Oi jospa lohikäärmeet palaisivat sukupuuton maasta
jonne ne on ajettu,
jospa ne vaikka tyytyisivät mummoja popsimaan.
Niille riittäisi runsaasti ruokaa
ja kaikki olisivat iloisia.

When grannies die
they become flowering meadows and unmown hay
and some grannies turn into trees
and they hum softly over their grandchildren,
protect them from the rain and wind,
and spread branches over them
in winter, when the snow comes.
But before that grannies are passionate.

Grannies weep nearly every day.
It's nothing, my child,
it would be worse if grannies never wept.
Just remember – lilies grow from the tears of a princess,
and stupid princes are awakened by their kisses.
Oh if only little frogs could hop from the tears of grannies –
the frogs have become so rare, and they are needed.
Oh if only dragons could come back from the land of extinction
where they've been driven,
if only they were content to munch – let's say – grannies.
There would be plenty of food for them
and everyone would be happy

Kun sinun tulee ikävä minua
– ja ajatella että minä olen varma että sinun tulee,
poikani, rakastettuni, mummon oma kulta –
kun tulee ikävä
katso kukkaa,
mitä tahansa, lähintä:
ojakellukkaa, pietaryrttiä, heinää,
pientä tuiketta tien poskella.
Olen siinä ja hymyilen,
katson sinua silmiin ja lohdutan.
Ei surra liikaa.
Ollaan kohtalaisen hyvällä tuulella.
Eletään se hetki mikä voidaan
sellaisena kuin se tulee.
Ei elämässä muuhun pysty,
paitsi että voi tehdä toisen iloiseksi.
Voi jättää kukan taittamatta.
Voi jättää puun pystyyn.
Voi olla tappamatta.
Voi olla lyömättä.
Ei voi olla olematta surullinen silloin tällöin.

When you miss me
– and yes, I do believe you'll miss me,
my boy, my sweet one, granny's own darling –
when you miss me
look at a flower,
any flower, the nearest,
a bluebell, a daisy, a bedstraw,
a little tiny twinkling by the roadside.
I'll be in that and I'll smile,
I'll look in your eyes and comfort you.
Let's not grieve too much.
Let's be in a reasonably good mood.
Let's live the moment as we can
the way it comes to us.
That's all anyone can do in life,
except that we can make others happy.
We can refrain from picking the flower.
We can leave the tree standing.
We can refuse to kill
or to hit people.
We can't help being sad now and then.

Eräänä päivänä on niin lämmin että voi tulla esiin.
Se on kuin kutsu joka koskee juuri minua,
juhla johon vain minut on kutsuttu
koska en siedä kaltaisiani.
Silloin vasta tulen ajatelleeksi
mitä minulla on ylläni
vai onko mitään.
Tule sellaisena kuin olet, sanoo kutsu,
kaikki ovat vähän rähjäisiä näin keväällä.
Mutta heillä on jo värinsä:
vihreää, heleätä ja kiiltävää,
valkoista jossa on punertavat juovat,
keltaista nukkaa,
ruskeata ja siinä siniset pilkut.
Minun harmauteni loistaa vanhuuttaan.
Tule vain, ei sinua täällä kukaan huomaa,
sanoo kutsu,
me olemme niin ihanasti täynnä itseämme,
muistathan,
ja se on yhteistä kaikille, vapaasti käytössä.
Jokainen on mitä toinenkin.
Kaikki värit, kaikki muodot,
lepatus, värinä, ryömiminen, lento.

Ja minä muistan.
Tuomi on puhkeamaisillaan kukkaan.
Aika tavoittaa meidät.
Joudu, sanoo kutsu.

Minä irrotan otteeni.

One day it will be so warm that I can go out.
It will be like an invitation just for me,
a party that only I am invited to
because I can't stand people who are like me.
Only then will it occur to me to think
of what I'm wearing
or if I'm wearing anything at all.
– *Come the way you are,* says the invitation,
everyone looks a bit shabby in the spring.
But they have their colours now:
green, translucent, shiny,
white with stripes turning to red,
yellow fluff,
brown, with patches of blue.
My greyness will have the sheen of old age.
– *Just come along, nobody will notice you,*
says the invitation,
we are all so gloriously full of ourselves,
do remember that,
and it's the same for all, there are no exceptions.
One is as good as another.
All colours, all forms,
fluttering, shivering, crawling, flying.

And yes, I'll remember.
The bird-cherry is about to burst into blossom.
Time is catching up with us.
– *Hurry,* says the invitation.

And I'll let go.

THANKS FOR YESTERDAY

Äidin kuoltua
laskeutui vanhuus minun oksalleni
ensin vain kodittomuuttaan,
levähtääkseen,
järkyttyneenä.
Sitten se alkoi viihtyä,
lakkasi ikävöimästä
ja nyt se taitaa jo rakentaa pesää.
Shh.
Itkeekö aamusumussa lapsi?
Vai puu?

Lapsi. Ja puu.

Kolmen aikaan iltapäivällä
kuollaan aina hiukan
jollei rakasteta.
Kolmen aikaan iltapäivällä
kaipaavaiset lähtevät leijumaan
ja heidän lävitseen tuulee.
Onnelliset takertuvat toisiinsa
kunnes hetki menee ohi
ja avaruus sallii heidän pudota.
Samaan aikaan aamuyöllä
kuollaan paljon
kun ei jakseta enää suudella.
Huulet irtoavat toisistaan.
Aurinko nousee.

After mother died
old age settled itself on my branch,
at first it was merely homeless,
it wanted to lie down,
it was in shock.
Then it began to revive,
ceased to grieve
and now it's already starting to build a nest.
Hush.
Is that a child crying in the morning mist?
Or a tree?

A child. And a tree.

At three o'clock in the afternoon
we always die a little
if we aren't loved.
At three o'clock in the afternoon
those who long for love float away
and the wind blows through them.
The lucky ones cling to each other
till the moment passes
and space lets them fall to earth.
At that same hour, in the early morning,
many die
because they no longer have the strength to kiss.
Their lips become loosened from each other.
The sun rises.

Minä rakastan monenlaisia miehiä,
paha vain että he ovat kaikki niin näkyviä.
Heidän saapumisensa pannaan merkille
joka ikkunassa.
Minä tarvitsisin miehen
jonka voi panna taskuun
ja kuljettaa sisään
kenenkään huomaamatta
leivän, viinin ja vihannesten kanssa.
Jonka jaksaisi kantaa yläkertaan,
asettaa tyynylle
ja seurata vierestä
kuinka hän paisuu
luonnolliseen kokoonsa
ja ehkä vähän ylikin.

Sitten hän kääntyisi minuun päin,
sulkisi minut syliinsä
ja ympäröisi minut.

Vai miten se nyt olikaan?

I love many different kinds of men,
it's a pity they are all so visible.
Their arrival gets noticed
        from every window.

I need a man
I could put in my pocket
        and take inside the house
                unobserved by anyone
along with the bread, the wine and the vegetables,
a man I could carry upstairs
and set down on a pillow
        and lie beside
watching how he swells up
                to his natural size
        and maybe a little more.

Then he would turn to me
and hold me close
and embrace me.

            Or how was it now...?

Nykyisin minä rukoilen enää
ystävieni puolesta:

– Oi hyvä Jumala, anna hänelle mies.

Tai vähempään tyytyen:
– Anna hänelle miehiä.

Ja kun he sitten kertovat minulle
saaneensa naida,
minä lähetän välittömästi
ajatuksen korkeuteen:
– Kiitos edes siitä.

Sinun kanssasi, rakkaani,
vuodet menevät liian nopeasti.
Se on ainoa mistä sinua syytän.
Ne tuhat vuotta jotka olemme olleet yhdessä
ovat kuin yksi varastettu iltapäivä
ja jokainen varastettu iltapäivä
kuin tuhatsata ajastaikaa.

Minä olen jo monta kertaa herännyt vanhana,
yhtäkkiä.

These days I still say a prayer
for my friends:

– Oh Lord, grant her a man.

Or else, being content with less:
– Grant her men.

And then when they come and tell me
they've managed to get laid
I immediately send this thought
up to heaven:
– Thanks at least for that.

With you, my dear,
the years pass too quickly.
It's the only fault I find in you.
These thousand years we've been together
are like a stolen afternoon
and each stolen afternoon
like a hundred thousand eternities.

So many times I've wakened
to find myself old
suddenly.

VOICES FROM
AN OLD PEOPLE'S HOME

Tänään olen voinut kummallisen hyvin
ja miten kaihoankaan.

Että saisi vielä kerran kulkea vapaana,
vetää ostoskärryjä perässään,
nojata välillä puuhun.
Että tulisivat lokakuun märät pimeät
viuhuvat illat, viimeisten lehtien lento
ja hän uskaltaisi tulla
eikä kukaan näkisi häntä verhojen raosta.
Että tulisi aamu
ja kello puoli yksitoista
ja hän soittaisi.
Sanoisi: – *Lähdetäänkö ajelulle, on kaunis ilma.*
Ja me ajelisimme etsien kuivaa kallionkoloa,
autiota taloa, romahtanutta latoa
tai vanhaa tanssilavaa
        jossa voisimme äkkiä
        uhkarohkeasti
        niin kuin nuorena...

Kerran kun nojasin puuhun
tuli joku sanomaan: – Voinko auttaa?
– Ei, minä sanoin, ei kiitos,
on jaksettava yksin.

Sinun kilpailijasi, rakkaani, on vanhuus.

Today I've felt surprisingly well –
and oh how I wish…

That I could walk freely again,
pull a shopping trolley behind me,
lean on a tree sometimes.
That the dark days of October would return –
evenings when the wind is whistling, the last leaves flying
and he would dare to visit me
and no one would see him from behind the curtains.
That the morning would come
and it would be half past ten
and he'd phone.
And he'd say: Let's go for a drive, it's a fine day.
And we'd drive and look for a dry spot among the cliffs,
or a deserted house or a broken-down barn
or an old dance pavilion
    where suddenly
    greatly daring
    we would
    like when we were young…

Once when I was leaning on a tree
someone came by and said: Can I help you?
– No, I said, no thanks,
I have to manage on my own.

There's your rival, my dear. Old age.

Kipu on minun puolisoni,
ei minulta mitään puutu.
Viheriäisille niityille hän minua seuraa,
valvoo minun yrittäessäni levätä,
virvoittavien vetten tykönäkin
hän minua kovertaa.
Vaikka voitelisin ruumiini öljyllä,
on kipujeni malja ylitsevuotavainen.
Kipu on minun Herrani ja Paimeneni
ja minä saan loikoa hänen huoneissaan
päivieni loppuun asti.

Se kolmas näissä rakkauden ja kuoleman kuvioissa,
se on elämä.
Tiesitkö sen, armaani?

Oli se rakkautta.
Kun minulta pääsi pieru
hän sanoi:
– Miten kaunista!

Pain is my spouse,
I shall not want.
He follows me to the green pastures,
watches over me when I try to rest
and even beside the restoring waters
he engraves me.
Though I anoint my body with oil,
the cup of my pain is overflowing.
Pain is my Lord and my Shepherd
and I shall loll around in His mansions
till the end of my days.

The third in these patterns of love and death
is life.
Did you know that my dear?

That was true love.
When I farted he said:
– How beautiful!

Jossain vaiheessa
aikamuoto muuttuu, rakkaani,
on jo muuttunut,
        huomaamattamme,
ja mikä tapahtuu
        on jo tapahtunut
kauan sitten
        eikä enää toistu.
Ei ole menneisyyttä
        joka palaa,
ei tulevaisuutta
        joka kiitää kohti
        ja tempaa meidät pyörteeseensä,
on vain tämä hetki
        ilman siteitä.
Tiedätkö mikä se on nimeltään?

Eilen sanottiin televisiossa
että se on Alzheimerin tauti.

Kuulen kuinka kurjet huutavat.
Ne lentävät tähän aikaan kohti etelää.
        Sen verran muistan.

Kuulen lasten huudot niityltä
avoimesta ikkunasta.
Lapset kasvavat nopeasti.
        Myös sen muistan.

My dear, at a certain stage
there will be a change of tense.
In fact it has already changed
        without our noticing it
and whatever happens
        has already happened
long ago
        and will never happen again.
There is no past
        that will return
and no future
        that we rush towards,
        that pulls us into its vortex –
only this moment
        not bound to anything.
Do you know what it's called?

Yesterday they said on TV
that it's Alzheimer's Disease.

I hear the cry of the cranes.
At this time of year they fly to the south.
        That much I remember.

I hear the cries of the children in the meadow
from the open window.
Children grow up quickly.
        That too I remember.

THE PLACE WHERE
MY SOUL'S HOUSE STOOD

Minä omistan tällä hetkellä kaikki rakastettuni,
on sellainen päivä,
näin vanhaksi olen tullut,
niin vanhaksi he,
paitsi sinä armaani, myöhäsyntyinen.
Sinussa he ovat odottaneet minua kaikki.
Näin minä lopulta lankesin heidän käsiinsä
ehdoitta,
näin minä lopulta annan anteeksi
ja pyydän.
Rakkaudella on sellainen valta.
Minä palautan heidät poikuuteensa
kuin en olisi koskaan satuttanut heitä.
Mutta sinut minä määrään
halajamaan minua
kuin tietoa,
kyltymättä.

In this moment I own all those I have loved,
it's that kind of day:
so old I have become,
so old are they –
except for you my dear, my late-born one.
In you they have all been waiting for me
and thus, at last, I fall into their arms
unconditionally,
thus at last I forgive
and beg forgiveness.
That's the power of love.
I return them to their boyhood
as if I had never hurt them.
But you, my dear, I command
to desire me
like knowledge,
insatiably.

Minun sisälläni kukkii maisema
jonka vain tämä katoavaisuus
erottaa ympäröivästä luonnosta.
Ne yhtyvät kerran,
sulautuvat toisiinsa aidoitta,
ja minun sieluni talon paikka kasvaa umpeen.
Vain muutama kivi jonka olen koonnut
lähimmäisteni harteille
jää muistoksi sammaloitumaan
ja ehkä jokin ruusu, juhannusruusu,
jonka olen istuttanut
yhä kukkii pitkän heinän keskellä,
ja akillea ja iiris ja omenapuut,
kasvaneet niistä siemenistä
jotka heitin polun varteen saunalle mennessä.
Ja ehkä perhoset sukupolvi toisensa jälkeen,
hauraimmat kaikista,
ja kyyni ja sisiliskoni ja sammakkoni
viihtyvät sillä paikalla.
Se kuuluu viimeinkin niille kokonaan
niin kuin alunperin oli tarkoitus.
Ihmiskeskeisyyden aika on ohi.
Luonnon maailmankausi minun kohdallani alkaa.
Uneni toteutuvat kuin ylösnousemus
ja kaikki todistaa uskoa.

A landscape blossoms within me
and only its evanescence
separates it from the nature all around.
The two are merging together,
melting into each other with no boundaries
and the place where my soul's house once stood
is becoming overgrown.
Only a few stones that I've heaped
on the shoulders of those close to me
will be there, gathering moss,
and maybe a rose, a midsummer rose
that I've planted
will bloom amid the long hay,
and the achillea and the iris and the apple trees
will grow from the seeds that I've let fall
beside the path, on the way to the sauna,
and maybe the butterflies, from generation to generation,
of all things the most fragile,
and my adder and my lizard, and my frog
will be happy here.
At last it will belong to them entirely
as was meant from the start.
It's past now, this time
of humans at the centre of things
and the era of nature is beginning in me now.
My dreams are coming to pass like a resurrection
and everything bears witness to the faith.

EEVA KILPI (b. 1928) is one of Finland's most famous and best-loved writers. She spent her childhood in Karelia, the part of Finland ceded to the Soviet Union at the end of the Second World War. She studied English, Aesthetics, Modern Literature and Art History at Helsinki University (graduating in 1953), then taught English before becoming a full-time writer in 1959. Her literary output has included poems, novels and essays, and her work has been translated into many languages, including Hebrew, French, Spanish, Italian, German, Hungarian, Polish and Greek, and all the main languages of Scandinavia. Her most recent work, *Kuolinsiivous* – a collection of poems, aphorisms, memories and observations drawn from diary entries over many years – was published by WSOY in 2012.

Eeva Kilpi has been Chair of Finnish PEN (1970–1975), and has received many prizes and honours, including the Pro Finlandia Medal of the Order of the Lion of Finland (1974), the State Literature Award (1968, 1974 and 1984), the Runeberg Prize (1990) and the Nils Ferlin Award (from Sweden, 2007). In recent years she has been a Nobel Literature Prize nominee.

DONALD ADAMSON is a widely-published poet and translator, living in Scotland and Finland. He has translated Finnish poems for *How to Address the Fog: Finnish Poems 1978-2002* (Carcanet / Scottish Poetry Library, 2005); also song texts for the Sibelius Academy, Helsinki, and for the World Music group *Värttinä*. His own poems have been translated into Finnish and Romanian.

He was co-founder the Scottish arts and literature magazine *Markings*. In 1995 he was awarded a Scottish Arts Council writer's bursary, and in 2014 he was awarded a translator's bursary by the WSOY Foundation. He has been a prize-winner in several poetry competitions, and his poem 'Fause Prophets', which in 1999 won the Herald Millennium Poetry Competition, is buried in a time capsule under the walls of the Scottish Poetry Library.

His previous publications include the collections *Clearer Water* (Wider Eye Publications, 1996), *The Gift of Imperfect Lives* (Markings Publications, 2002) and *From Coiled Roots* (Indigo Dreams Publications, 2013).

Arc Publications
publishes translated poetry in bilingual editions
in the following series:

ARC TRANSLATIONS
Series Editor Jean Boase-Beier

'VISIBLE POETS'
Series Editor Jean Boase-Beier

ARC CLASSICS:
NEW TRANSLATIONS OF GREAT POETS OF THE PAST
Series Editor Jean Boase-Beier

ARC ANTHOLOGIES IN TRANSLATION
Series Editor Jean Boase-Beier

'NEW VOICES FROM EUROPE & BEYOND'
(anthologies)
Series Editor Alexandra Büchler

details of which can be found on the
Arc Publications website at
www.arcpublications.co.uk